APPUIE SUR CE ROND JAUNE
ET TOURNE LA PAGE.

BIEN ! ET MAINTENANT APPUIE SUR
CE ROND JAUNE ENCORE UNE FOIS...

PARFAIT! MAINTENANT FROTTE DOUCEMENT
AVEC TON DOIGT LE ROND JAUNE DE GAUCHE...

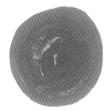  

C'EST BIEN ÇA ! ET MAINTENANT
FROTTE LE ROND JAUNE DE DROITE.

SUPER ! MAINTENANT CLIQUE CINQ FOIS
SUR LE JAUNE...

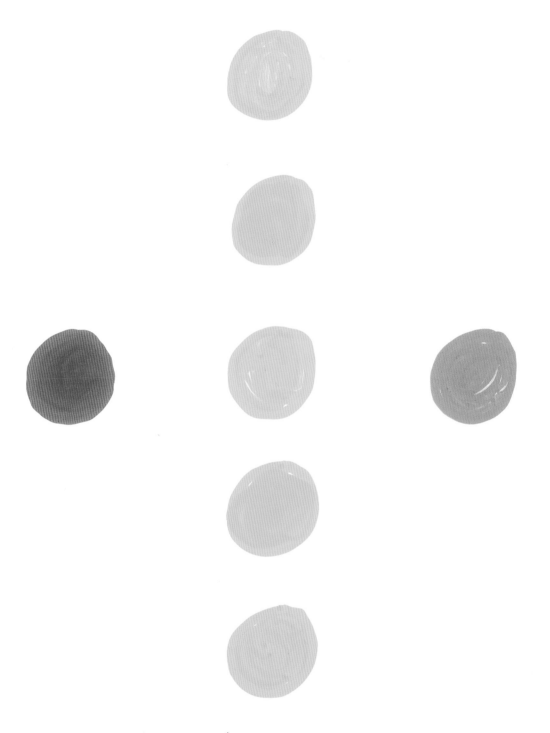

...ET CINQ FOIS SUR LE ROUGE...

ET ENCORE SUR LE BLEU.

PARFAIT! ET SI ON SECOUAIT UN PEU
LE LIVRE MAINTENANT.

PAS MAL ! UN PEU PLUS FORT PEUT-ÊTRE...

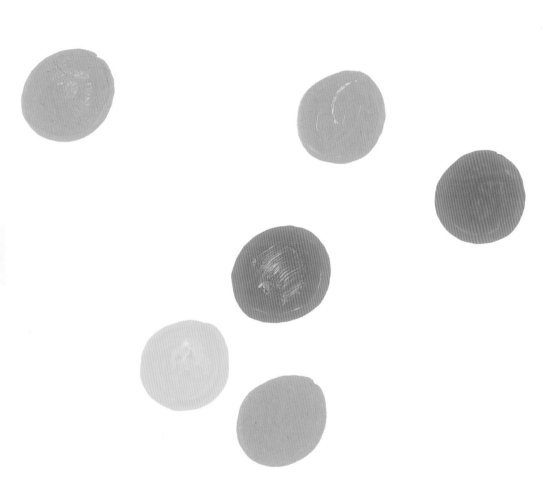

VOILÀ ! TRÈS BIEN... MAINTENANT INCLINE
LE LIVRE VERS LA GAUCHE, POUR VOIR...

ET VERS LA DROITE…? ON Y VA ?

EXCELLENT ! SECOUE LE LIVRE UNE FOIS
ENCORE POUR TOUT REMETTRE EN ORDRE...

HUM ! JOLI ! CLIQUE BIEN FORT
SUR LES JAUNES POUR VOIR...

RIGOLO! ON RALLUME? TU CLIQUES?

PARFAIT! (tiens! il y en a deux qui ont changé
de place. tu vois lesquels?) MAINTENANT CLIQUE
SUR TOUS LES BOUTONS, BIEN FORT!

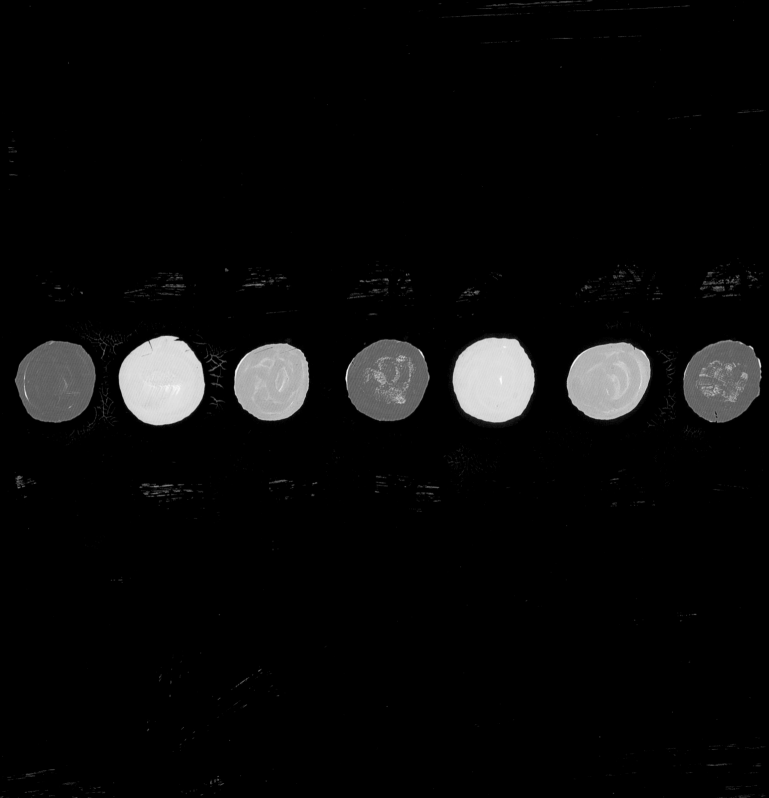

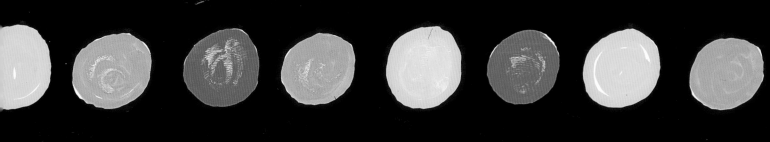

PAS MAL... ON SECOUE UN PEU ?

TRÈS JOLI, N'EST-CE PAS ?
PEUX-TU SOUFFLER... POUR ENLEVER LE NOIR.

HUM! UN PEU PLUS FORT...

OUPS ! EUH... C'ÉTAIT PEUT-ÊTRE
UN PEU TROP FORT ! METS LE LIVRE BIEN DROIT
POUR LES FAIRE REDESCENDRE.

AH VOILÀ ! C'EST PARFAIT !
TAPE UNE FOIS DANS TES MAINS, POUR VOIR...

WHAO ! TU TAPES DEUX FOIS ?

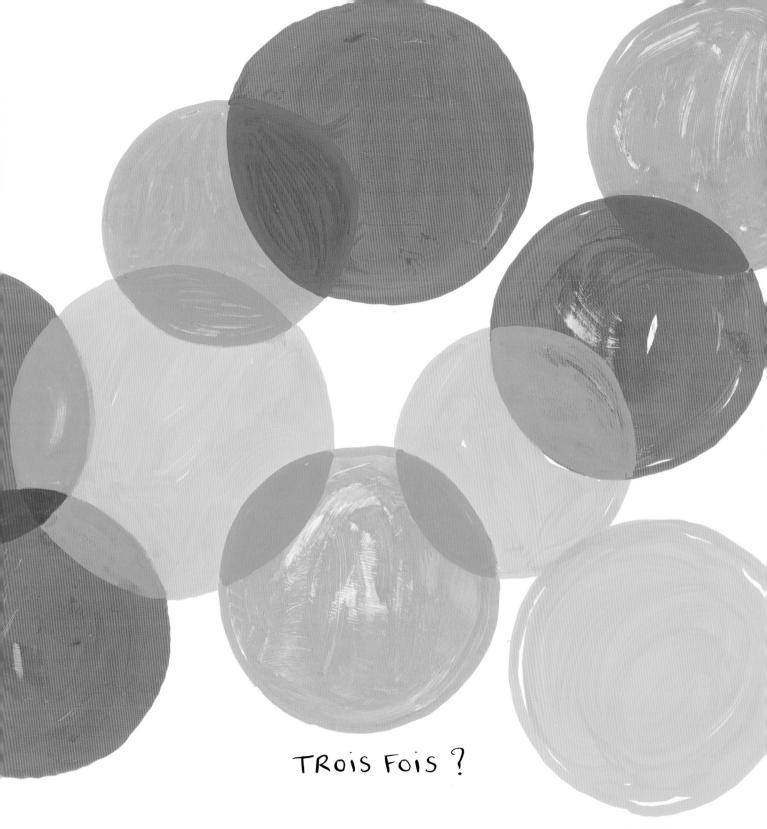

TROIS FOIS ?

ENCORE !

WHOoo ! ON APPLAUDiT !

ENCORE !

TROP FORT !
CLIQUE SUR LE BOUTON BLANC...